Les serpents

DU MÊME AUTEUR

QUANT AU RICHE AVENIR, *roman,* 1985
LA FEMME CHANGÉE EN BÛCHE, *roman,* 1989
EN FAMILLE, *roman,* 1991
UN TEMPS DE SAISON, *roman,* 1994 (« double », n° 28)
LA SORCIÈRE, *roman,* 1996 (« double », n° 21)
HILDA, *théâtre,* 1999
ROSIE CARPE, *roman,* 2001
PAPA DOIT MANGER, *théâtre,* 2003
TOUS MES AMIS, *nouvelles,* 2004

Aux éditions P.O.L

COMÉDIE CLASSIQUE, *roman,* 1987

MARIE NDIAYE

Les serpents

LES ÉDITIONS DE MINUIT

Ouvrage publié avec le concours
du Centre national du livre

© 2004 by LES ÉDITIONS DE MINUIT
7, rue Bernard-Palissy, 75006 Paris
www.leseditionsdeminuit.fr

ISBN 2-7073-1856-6

PERSONNAGES :

FRANCE
MME DISS
NANCY

I

FRANCE. – Est-ce qu'elle vient pour le feu d'artifice ?

Mais ce sera peu de chose.

MME DISS. – Qui vient pour le feu d'artifice ?

FRANCE. – Je l'envie, cette personne, je l'envie sans la connaître d'avoir conduit jusqu'ici rien que pour le feu d'artifice, en se disant : une fête de village, ça peut être amusant.

MME DISS. – Qui vient pour le feu d'artifice ?

Tu te trompes sans doute. On ne peut pas avoir une telle idée.

FRANCE. – N'êtes-vous pas venue pour le feu d'artifice ?

Oh, je le croyais.

MME DISS. – On ne peut pas avoir une telle idée.

C'est agaçant.

Maintenant je voudrais voir mon fils. Pourquoi m'évite-t-il, dis-moi ? Voilà qu'il s'occupe des enfants au point de se rendre inabordable et il me fait patienter et patienter dans l'espoir de me décourager.

Pourquoi donc ?

FRANCE. – Il pense que vous êtes venue pour le feu d'artifice et qu'il n'y a pas à se hâter car la nuit est loin.

MME DISS. – Tu m'ennuies et me fais pitié avec ton feu d'artifice.

Depuis quand t'y prépares-tu ? Et une fois la dernière chandelle explosée, alors ?

Qu'est-ce que c'est que ta vie ici, après le feu d'artifice ?

FRANCE. – Mais je peux bien, avant comme après, vivre dans l'attente du 14 Juillet, puisque cela finit toujours soit par arriver soit par revenir. Il suffit d'en être certaine. C'est un désir perpétuel et toujours comblé, aussi ne croyez pas que je retombe, non, la vigueur de cet élan ne cessera qu'à ma mort, la joie qu'existent, chaque année, un 14 Juillet et un feu d'artifice, inéluctablement.

Pas de déception, pas de chute possibles.

Il ne faut pas s'inquiéter pour moi.

MME DISS. – Où est mon fils ? Tu l'as épousé, ma pauvre, et voilà le résultat.

FRANCE. – Regardez, regardez comme j'ai changé. Vous ne m'avez pas connue avant.

Oh, je n'ai jamais été aussi sereine, aussi souriante, aussi capable de déployer devant moi ma pensée et d'en contempler la clarté et le vernis.

Si vous m'aviez connue, vous lui en seriez reconnaissante.

MME DISS. – Il compte que je me fatigue et que je m'en aille avant de lui avoir dit bonjour.

FRANCE. – Maintenant je suis fière alors que je marchais le nez baissé, de peur qu'on voie ma figure. Maintenant je la montre. Je ne crains plus de découvrir mes dents. J'attache mes cheveux bien serrés en arrière, je ne cache rien de ma peau, de mes joues.

Vous ne me connaissiez pas.

Mais je suis tellement plus glorieuse. N'oubliez pas d'y songer si vous venez, je ne sais trop, pour des reproches à lui adresser.

MME DISS. – Des reproches ?

FRANCE. – Comme ce n'est pas, vous me disiez, pour le feu d'artifice.

MME DISS. – Je ne veux que vous emprunter de l'argent. Mon fils me prêtera bien.

Que pourrais-je trouver à lui reprocher ?

C'est un fils, mon dieu, je ne le connais guère à présent.

FRANCE. – Si je n'hésite plus à porter des jupes un peu serrées sur les hanches et à donner mon opinion d'une voix ferme, il doit en être remercié et nul autre que lui. Car, enfin, qui m'a dit : découvre-toi, tu vaux mieux que beaucoup ?

Mais n'êtes-vous pas, excusez-moi, plus riche, infiniment plus riche que nous ?

MME DISS. – J'ai de gros besoins. J'ai fait des dettes. Je me suis mariée trois ou quatre fois, sans en tirer profit.

FRANCE. – Mais nous avons les enfants, nous contrôlons chaque dépense, les salaires sont maigres et irréguliers.
Nous sommes jeunes et les enfants sont encore petits.
Si vous m'aviez vue avant, vous ne me reconnaîtriez pas. Ma propre famille, quand il m'arrive d'aller la voir, me prend pour une employée de la mairie venue réclamer, je ne sais pas, le paiement de l'impôt local.

MME DISS. – On peut prêter à plus riche que soi. Ce n'est pas absurde, ce n'est pas discutable. Je dois trop d'argent à trop de monde, il me faut un bâilleur neuf, qui me fasse confiance, qui ne me demande rien.
J'ai mon fils, je n'ai qu'un fils.
Je resterai jusqu'à ce que je le voie.

FRANCE. – Tout de même, vous prêter, pardonnez-moi, à vous !

MME DISS. – Les enfants coûtent mais ils vous rapportent aussi. Vous êtes aidés. Prêtez-moi, chaque mois, ce qu'on vous donne pour les élever. Vous ne toucherez pas à vos économies, si c'est ce qui vous trouble.

Je m'arrangerai avec cette somme-là.

FRANCE. – Mon père et ma mère et tous mes frères et sœurs, passées les premières minutes d'hostilité à l'encontre d'une étrangère menaçante, se pénètrent doucement de l'idée que c'est bien moi qui leur rends visite. Ils ne me reconnaissent pas, non, mais ils me croient lorsque je leur dis que c'est moi. Ils sont crédules. On leur jouerait facilement un mauvais tour, comme de débarquer en affirmant qu'on est la fille de la maison et que cela ne soit pas vrai.

Mais qui aurait envie de mentir là-dessus ?

Ils ne sont pas désirables, ils ne sont pas désirables. Ils n'ont rien à voler, ils ne sont pas facilement aimables. Voilà pourquoi, si je vais les voir en prétendant être la fille, c'est que je suis la fille, point.

14

Je suis transformée.

Je sais bien qu'il ne viendrait à l'idée de personne de prétendre être apparentée à cette famille-là à moins que ce ne soit l'absolue vérité, mais ils ne le savent pas, eux, que le premier venu repousserait tout soupçon d'un lien avec ces visages, ces corps, cette façon de parler, ils ne le sauront jamais.

Je suis la fille. Et je m'exprime distinctement et j'ai pu devenir mince et je pense, je pense, je pense.

MME DISS. – Car, enfin, si mon propre fils ne me tend pas la main, qui le fera ?

Il fait si chaud aujourd'hui. Je peux tout de même entrer, me rafraîchir, France ?

FRANCE. – Non, ne le faites pas. Il serait fâché. Il prépare les enfants pour le feu d'artifice. Il est paisible, content, enjoué. S'il tombe nez à nez avec sa mère dans la maison alors qu'il la croyait à l'attendre dehors, et, d'une certaine façon, pardon, dehors pour toujours, à jamais dehors, excusez-moi, cela n'ira pas du tout, du tout – oh la la, s'il voit sa mère à l'intérieur !

MME DISS. – France, suis-je effrayante, démoniaque ? Je veux bien oublier que je suis sa mère et qu'il l'oublie également si c'est ce qui doit lui rendre plus facile de me prêter. France, suis-je détestable ?

FRANCE. – Je vous aime.

MME DISS. – Oui ?

FRANCE. – Je vous aime profondément.

MME DISS. – Mais je ne vous ai pas connue avant.
Ah, il fait si chaud, si chaud. On regarde autour de soi et on ne voit que les champs de maïs.

FRANCE. – Je vous aime de ne m'avoir pas fait affront, vous si éclatante, lorsque je me suis mariée avec lui. J'étais encore mal décrassée, encore lourde et taciturne, et vous auriez pu, très belle, astucieuse, ironique, vous auriez pu fort bien, je ne sais pas, trouver drôle et le faire sentir que votre fils amoureux d'une fille comme ça, de ce genre-là, si peu plaisante à regarder et n'ayant jamais rien à dire sur quoi que ce soit, en plus juge néces-

16

saire, cette fille-là, de vous la présenter comme sa femme.

Vous auriez pu en rire.

Puisque, chez moi, on rit de ces disparités, bien qu'on n'ait aucune chance d'être ailleurs que du côté ridicule, du côté inférieur de la comparaison et de toute comparaison possible. Puisque, chez moi, on aurait ri de nous voir, lui et moi, si on avait pu comprendre à quel point nous étions mal assortis, et puisque vous n'avez pas ri, je vous aime, infiniment, et penserai toujours qu'il a de la chance d'être né de vous...

MME DISS. – Je n'ai pas ri mais de quoi... Peut-être. Enfin, cela m'était égal.

J'étais moi-même en train de me remarier, j'étais très toquée de ce dernier imbécile.

C'est comme tu veux.

On ne voit que les maïs et les maïs et encore les maïs, France. Les maïs font le siège de votre maison, et la chaleur cogne et pas un arbre, que ces grands maïs qui ne font pas d'ombre.

FRANCE. – Il arrive que les enfants s'égarent dans les maïs.

17

Non, vous n'êtes pas détestable.

Il faut parfois une demi-journée pour les retrouver. J'ai si peur qu'un jour l'un d'eux, perdu dans les maïs, meure de soif et d'effroi, que j'attends avec impatience la fin de l'été, qu'on les coupe.

Vous êtes, Mme Diss, tellement plus expérimentée, plus maligne, plus belle que moi, et cependant, je ne sais pas, il répugne à l'idée de vous parler, sa mère. Il espérait, je crois, que cette forêt de maïs entre lui et vous empêcherait votre venue, mais voilà, il s'est trompé, et si vous saviez comme l'irrite l'amour que j'ai pour vous !

MME DISS. – Fais-lui savoir que je ne viens pas pour lui.

Tous ces sentiments : dis-lui que peu m'importe. Il n'a rien d'autre à faire qu'à me prêter, froidement. Et puis je m'en vais.

FRANCE. – Vous étiez riche, mais je vous prête, je vous donne, moi.

Je m'expliquerai avec lui. Comment peut-il comprendre ?

Il considère que je n'ai aucune raison de vous avoir de la gratitude pour votre sympathie. Ce n'est que normal, dit-il. Mais non !

A qui donner son amour, à qui se dévouer, alors, si ce n'est à ceux qui ne se moquent pas ? Moi, je vous aime, et la beauté m'impressionne, dans les yeux, le nez droit, votre peau.

Elle a garé sa voiture loin dans les maïs. Est-ce là qu'elle va attendre le feu d'artifice, en plein soleil, à trois heures ?

MME DISS. – Voilà quelqu'un, dans une robe bleue à fines bretelles ! Des cheveux bien coupés, un rouge à lèvres très vif !

FRANCE. – Oui, c'est elle – celle qui vient pour le 14 Juillet.
C'est elle, n'est-ce pas ?

MME DISS. – Tu es une brave petite femme.
Crois-tu que quelqu'un se soucie assez du 14 Juillet dans les maïs pour affronter, par plaisir, cette chaleur, ce ciel blanc ? Tu es tout excitée, France.
Rentre et dis-lui que je n'attendrai pas le feu d'artifice, que je veux l'argent avant. Dis-lui cela, à mon fils.

19

Tu es en sueur. Tes aisselles sont trempées. Rentre, parle-lui, dis bien que je ne ressens rien, parle, dis que je viens pour une affaire, simplement, pour une facilité.

Et change-toi, fais-toi propre, France. Qu'il fait chaud ! Comme tout est lourd et laiteux sur les maïs.

FRANCE. – Oui, ce que j'ai de plus joli, je le garde pour le feu d'artifice. J'aurai des talons et les jambes assez nues. Et je vous donne tout ce que nous avons, Mme Diss, mère chérie, et je me charge de le lui expliquer, à lui qui sera furieux.

Mais elle est considérable, ma dette envers vous ! Oh, permettez-vous que je vous appelle : Maman ?

Oh, s'il vous plaît.

MME DISS. – Va, occupe-toi du prêt. Ne m'approche plus. Nous verrons plus tard. L'odeur de ta sueur est forte, pareille à celle d'un animal qui a peur. Mais fais-toi belle, fais-toi belle.

FRANCE. – Vous êtes trop belle pour moi, maman, Mme Diss, si belle...

II

MME DISS. – Nancy... C'est Nancy ?

NANCY. – Et tu es Mme Diss et je n'étais pas sûre de mes yeux avant d'arriver au bout de ces maïs parmi lesquels, comprends-tu, j'espérais vaguement me tenir dissimulée... ne sachant pas... dissimulée et secrète... mais les feuilles sont sèches, les épis poussiéreux, sècheresse et poussière ne me valent rien, la terre est blanche !

MME DISS. – Tes jolies sandales, Nancy, en sont toutes ternies.

NANCY. – Où est sa femme ?

MME DISS. – Dedans.

NANCY. – Il y avait une petite femme mal arrangée, ici même, près de toi, et sa figure pâle et pointue de loin m'étonnait, sous ce soleil – blême et grisâtre, le front soucieux, comme une maheureuse fille de couvent.

Comment cela se fait-il ? Est-ce qu'il l'enferme ?

MME DISS. – Je m'en moque, tu sais. J'ai des ennuis, Nancy. J'ai besoin d'argent, sinon je meurs.

NANCY. – Tu ne m'aimais pas, Mme Diss. Ah, tu me haïssais, autrefois.
Et combien te faut-il ?

MME DISS. – Peut-être dix mille, quinze mille.

NANCY. – Jamais je ne te prêterai le moindre centime. Vieille guenon !

MME DISS. – Ou bien cinq mille, tout est bon à prendre. Dans ma situation.

NANCY. – Qu'est-ce que tu as fait ?

MME DISS. – J'ai filouté, menti. Il faut que je rende.
La mauvaise action n'existe plus, si l'argent revient.

NANCY. – Méchante vieille chose !
Où est ton fils ?
Je ne te vois pas, je te piétine de ma sandale. Car je ne t'aime pas et je te méprise et toutes les femmes de ton espèce. Ce qu'il y a de plus dérisoire, ce qu'il y a de plus

minable, je le ferais mien uniquement pour que cela ne soit pas à toi. Où est ton fils ?

MME DISS. – Il est là et il refuse de me voir. Nancy !

NANCY. – Pas de pitié pour toi.

MME DISS. – Mon fils a été ton mari pendant un certain nombre d'années et plusieurs hommes ont été, successivement, chacun son nombre d'années, mes maris. Le dernier m'a reproché d'avoir été mariée trop de fois, c'est un peu fort.

Mais, Nancy, il n'est plus ton mari, il demeure mon fils.

Et cette femme qu'il a maintenant prétend m'aimer, cependant elle me dégoûte légèrement. Que peut-on y faire ?

Et je t'ai vue monter dans les maïs, je me suis dit : elle est très bien mais, compte tenu de la différence d'âge, je la surpasse.

Je résiste mieux à la peine, aux chagrins, je la surpasse.

NANCY. – Ne me parle pas de toi. Ne me compare à personne. N'attrape pas mes chevilles, ne me tire pas vers le fond sale, ton eau commune. Ne te vante pas d'être plus... Je te l'accorde avec empressement.

Je parle différemment.

MME DISS. – Mais ne va pas espérer qu'il acceptera de te voir plus que moi. Voilà Nancy ? Rien du tout ! Un fils, il le sera toujours, mais pour toi ? Fini, fini.

Travaille à le séduire, si tu peux. Tout est à refaire, ah, Nancy, comme le chemin est rude, la route sèche.

J'ai si chaud. Même un verre d'eau, il me le refuse.

NANCY. – Je serai, pour lui... toujours...

MME DISS. – Ce qui n'est plus, deux moins un, ne compte pas. Tiens, à moi, quel souvenir m'en reste-t-il ? Je le crains : pas le moindre.

NANCY. – Je serai toujours pour lui la mère d'un certain garçon.

MME DISS. – Je ne sais plus grand-chose.

Cela ne m'intéresse guère.

Il a deux enfants de cette femme-là et,

le croiras-tu, il les prépare pour le feu d'artifice, depuis des heures.

Comme s'il allait les sacrifier au feu d'artifice, il les pare, les arrange, les dresse.

NANCY. – Et le garçon s'appelait Jacky, le petit Jacky car il n'était pas grand.

Tu t'en souviens.

Je t'en prie.

MME DISS. – A moins de cinq mille, non, je ne m'en souviens pas.

Qu'il fait chaud, Nancy. Entends-tu les maïs, comme ils tremblent ?

NANCY. – Tremblent ?

MME DISS. – Je ne me souviens de rien pour rien.

NANCY. – Oui, oui. Voilà. Attends, que je regarde ce que j'ai. Voilà. Trois billets de cent, tiens. Voilà pour toi.

MME DISS. – Le pauvre petit Jacky...

NANCY. – Oh oui, pauvre, pauvre...

MME DISS. – Est-ce qu'il ne portait pas, souvent, parfois, un short trop grand pour lui et des chaussures de sport délacées ?

NANCY. – Je ne sais pas. C'est possible. Oui.

MME DISS. – Est-ce que ses jambes mai-grichonnes n'étaient pas, souvent, rayées de griffures, toutes coupées de cicatrices qui le laissaient indifférent, aurait-on dit ? Ou s'il ne les sentait plus, peut-être ? La brû-lure de la douleur, il ne l'éprouvait plus ?

NANCY. – Crois-tu ?
Mais, ne me demande pas, affirme !
Ce que tu sais, dis-le moi, puisque, moi, je ne sais pas.

MME DISS. – Ma mémoire est indécise.

NANCY. – S'il te plaît, s'il te plaît.
Tiens... j'ai encore... tiens, deux billets de cinquante.
Oh, s'il te plaît.
Oui, prends, souviens-toi.

MME DISS. – Est-ce que son père, mon fils, ne le battait pas ?
Disant après : il court dans les maïs et les feuilles des maïs lui entament la peau tout comme des coups de cravache. Et choisissant ce mot de cravache, mon fils,

26

son père, pour dissuader de penser à la ceinture dont il devait cingler les mollets du petit Jacky, pour éloigner la pensée ou le soupçon de cette ceinture.

Comme on sait bien qu'il n'a pas de cravache, pas de cheval, mon fils, comme on sait bien qu'il n'a, pour circuler dans les maïs, que ses deux jambes.

Est-ce que c'est cela, Nancy ?

Est-ce que le pauvre Jacky n'était pas, régulièrement, roué de coups par un père irritable, mon fils, mais qui frappait à ses heures, avec un sens du rituel, et savait se dominer, ce père-là, pour ne pas l'abîmer gravement ? Pour que le garçon, Jacky, ne puisse jamais songer qu'il le battait pour autre chose que son intérêt ?

Mon fils, je le reconnaîtrais bien là.

NANCY. – Il corrigeait le garçon ? Tu es sûre de ne pas inventer ? Le petit Jacky ?

MME DISS. – Il me semble.

Peut-être même, c'est envisageable, que je l'ai vu faire.

NANCY. – Mais... Mais est-ce qu'il était... turbulent, pénible, dangereux ?

Est-ce qu'il avait besoin, de temps en temps, d'être ainsi rappelé à l'ordre, d'être un peu... pour son bien... dompté ?
Il devait être difficile, difficile.

MME DISS. – Ce garçon ?

NANCY. – Mon garçon. Oui. Dur à élever, insupportable ?
Et lui, son père, sans doute il n'en pouvait plus ?

MME DISS. – Tu veux que je te décrive le petit Jacky ?
Son caractère, ses goûts, ses aptitudes.

NANCY. – Mme Diss, je n'ai plus rien. Regarde. Mon sac est vide. Je t'en prie.
Même plus rien pour revenir en ville.

MME DISS. – Tu as ton chéquier. Signe-moi un chèque. J'ai plus besoin de ton argent que tu n'as besoin, toi, de quoi que ce soit.
Tu ne le sais pas, je dois être froide, tu ne sais pas ce qui me menace.

NANCY. – Et la brutalité, il la regrettait ? Il s'écroulait, ensuite, en pleurs sur les genoux du garçon, liquéfié de honte ?
Est-ce possible ?

MME DISS. – Non, non. Fais le chèque, Nancy, et je te livre alors mes souvenirs les plus justes car tu n'as rien vu, tu t'égares. Ecris : deux mille pour Mme Diss.

NANCY. – Le garçon, n'est-ce pas, le rendait fou ?

Ne voulait pas être éduqué ?

Obéir, se soumettre à l'autorité légitime ?

Sans doute ?

Oui, c'est bon... Voilà encore pour toi. Tu as ton compte, je suis en droit de ne plus te donner, maintenant ?

MME DISS. – Le pauvre Jacky était aussi bénin qu'un petit lapin. Et vulnérable, fragile, malingre.

Ton garçon était humble.

Je l'ai connu jusqu'à ses treize ou quatorze ans. Ce garçon était aussi gentil qu'on peut l'être.

NANCY. – Mais, alors... inconstant, paresseux... que sais-je ?... Mme Diss, cela me fait tant de peine, tant de peine.

MME DISS. – Le garçon se déplaçait dans une telle gloire de douceur qu'il fallait à son père une haine spéciale pour oser la forcer puis s'inventer des raisons de le cogner. Jamais ce garçon n'a rien fait qui ait pu justifier ne serait-ce qu'un froncement de sourcils, qu'une mauvaise pensée tournée vers lui. Et plus son père, mon fils, le battait, et plus loin encore s'écartaient de Jacky les motifs coutumiers pour lesquels on peut, à douze ans, recevoir une raclée.

Je les ai vus bien souvent ensemble, le battu et celui qui battait.

Je les ai vus bien souvent.

NANCY. – Mais, parfois, son père l'aimait ? Le lui montrait ?

MME DISS. – Si tu veux le croire, je ne te dis rien.

Oui, crois ce que tu veux.

Cela préservera l'arrondi de tes joues, de tes seins.

NANCY. – Il ne l'embrassait pas ?

Une fois dégagé de sa colère, ce n'est pas dans ses bras qu'il le prenait ?

Le petit Jacky, moins haut, à treize ans, que les maïs, tu m'as dit ? Oui, il l'embrassait. S'il te plaît.

MME DISS. – Il me semblait qu'il voulait en frappant l'obliger à devenir
méchant autant qu'il l'était lui, mon fils,
car il prenait la douceur du garçon pour
de la joie, sa pureté d'esprit pour du bien-
être.

Mais ce Jacky n'avait ni hargne ni ran-
cune. Il s'était habitué. Il n'avait pas peur
des coups. Il ne criait plus, à la fin. Il dur-
cissait dans sa bonté. Ses jambes étaient des
tiges. Il me semblait que la fureur de son
père finirait par les couper tout net, mais
non.

Alors, bien sûr, la rage du père... enflait...
puisqu'il restait seul, et seul toujours et toujours, avec sa mauvaiseté... jamais ralliée
par le fils.

NANCY. – Jamais ?
Mon dieu, mon dieu, Mme Diss.

MME DISS. – Il se vengeait sur lui que
tu ne sois pas là, disant au garçon : qu'elle
vienne te voir, ta mère, si elle veut arrêter
mon bras. Car rien d'autre ne l'arrêterait,
ainsi devait penser Jacky également.

Tu n'étais pas là ? Rien n'a suspendu les
coups de son père, de mon fils ?

31

NANCY. – Rien ?

MME DISS. – Non, comme tu n'étais pas
là, comme tu n'as jamais été là.

Mais, pour le garçon, c'était égal. Il ne
sentait plus rien, à l'abri de lui-même, pro-
tégé par sa délicatesse. Le père, pour se
monter, devait faire effort chaque jour
davantage et, le comprenant, voyant l'infé-
riorité, il en voulait à ce fils passionnément,
fanatiquement.

NANCY. – Mme Diss, pourquoi tu n'as
rien fait ?

MME DISS. – Quoi faire ?

NANCY. – L'empêcher, le menacer...
Protéger l'autre, le petit. Quelle femme es-
tu ? Voilà que tu sais tout, et que tu n'as
pas honte.

MME DISS. – Tu me vois, j'ai mes talons,
mon collant fin en plein été, ma jupe à plis,
mon chemisier de soie, tu me vois, j'ai ma
veste cintrée, ma permanente, mes fards,
les perles à mes oreilles.
Que veux-tu faire, fleurie comme cela ?
Mon fils, tu le connais. Qu'aurais-tu fait

32

contre sa volonté ? D'ailleurs il s'adressait à moi avec confiance et civilité. Il me parlait bien. Il était facile de le croire. C'était le père et c'était mon fils.

NANCY. – Et... mon pauvre garçon ?

MME DISS. – Par une certaine chaleur de la voix le père a su faire de moi son associée plus que je ne le pensais.

NANCY. – Tu battais le petit Jacky ?

MME DISS. – Je ne le battais pas mais je ne trouvais pas déshonorant qu'il fût battu, comme, semblait-il, il ne souffrait pas. S'il ne souffrait pas ?

NANCY. – Il devait bien souffrir.

MME DISS. – Possible. Mais cela n'en avait pas l'apparence. Pas de plaintes, pas de pleurs, et le père m'assurant paisiblement qu'il fallait, pour la bonne santé de chacun, frapper ce garçon, et que celui-ci aimait être frappé pour ne pas se laisser engloutir par une propension démesurée à la rêverie, par un goût inutile et sournois de l'irréalité, le garçon en était conscient, c'était pour lui un danger, une débilité, et n'est-ce pas ce qui le maintenait si petit de taille, son inclination pour la chimère ?

NANCY. – Il rêvait ? Il ne grandissait pas ?

MME DISS. – Minuscule. Il serait devenu... une moitié d'homme. Tu le sais, Nancy ?

C'est de ta faute. Qu'elle vienne, ta mère, pour te faire grandir ! le père lui disait.

Et toi tu ne venais pas, aussi fallait-il bien que mon fils se débrouille pour amener à une stature acceptable ce garçon qui, par ailleurs, à mon sens n'avait pas de défaut, mais à charge pour le père de lui en trouver, de ravager sa subtilité. La mère est partie sans retour, le père tâche de se tirer d'embarras, il sème la désolation. La maison, il la bouleverse, le garçon, il l'asservit, croyant bien faire, feignant qu'il croit bien faire. Il est désespéré, il ricane, il se dit : elle verra le résultat, et il ne sait plus si le résultat a lieu d'être pour lui un motif de honte ou d'orgueil. Il se dit : voilà, j'élève mon fils, à mon idée. Il m'a emmêlée. Je n'avais plus de jugement, avec mes escarpins et le reste.

Il en arrive à ceci, qu'il achète des serpents. Puis il dit au garçon si docile, si lointain, il lui dit : tu les nourriras et tu nettoieras leur cage, ce sera ton travail, apprends à n'avoir peur de rien.

NANCY. – Mais... était-ce nécessaire ? Il n'avait pas peur, sans doute ? Jacky, mon ange ?

MME DISS. – Le père le lui a dit sachant bien que ce garçon n'avait jamais manifesté de peur envers quoi que ce soit, alors... Si c'était une façon de le prévenir ? Peut-être, peut-être.

Car, n'est-ce pas, tu n'es jamais venue ? Pas une fois ?

NANCY. – Non.

MME DISS. – Tu es certaine ?

NANCY. – J'étais en ville. Je n'avais pas de voiture et pas d'argent pour venir à ce moment-là. Comment j'aurais pu venir ?

MME DISS. – Tu aurais vu les vipères dans leur cage, derrière la maison, tu aurais vu, ornées des nombreuses signatures du père, les jambes du garçon, tu aurais vu tout ce qui n'allait pas.

NANCY. – Comment j'aurais pu venir ? Il me faisait peur.

MME DISS. – Nancy, j'ai soif, mon fils ne veut pas que j'entre, sa mère.
Mais il n'y a plus de petit Jacky et c'est maintenant que tu reviens.
Allez, allez.
Le garçon était une sorte de saint malgré sa laideur, je ne dis pas, moi : mon ange, je ne dis pas... Tout cela me dégoûte. Je ne suis pas bonne, je suis honnête au moins.

NANCY. – La mort du garçon, je l'ai apprise bien plus tard. Personne ne m'a prévenue, pas de message, pas de déférence, rien.

MME DISS. – Allez, allez.

NANCY. – Comme s'il n'avait pas eu de mère, alors qu'il m'avait cependant et que même loin je pensais à lui. Et pendant des mois j'ai pensé à lui alors qu'il était mort, mais je ne l'ai pas senti, et je pensais à lui alors que sa mort m'enveloppait et que je ne voyais rien.

MME DISS. – Pouah ! Et après, ma belle ?
Son père savait qu'il n'aurait pas peur et qu'avec les serpents, il ne prendrait pas de précaution.

NANCY. – La sépulture du garçon, je ne l'ai même pas vue. Sur cette tombe (c'est une tombe ?) je ne me suis même pas penchée, recueillie. Des fleurs, je n'en ai pas porté, ni en pot ni en bouquet, puisqu'on ne m'a pas prévenue et que moi, là-bas, je m'activais à réussir une vie mal commencée et que, ce qui m'étreignait chaque jour, ce n'était pas la possibilité de la mort du garçon mais la peur de son père, que j'éprouvais même au loin et qui vient à peine de me quitter. Qui m'a quittée ?
J'avais tellement peur, madame Diss. Cela a pris des proportions déraisonnables. Comment j'aurais pu venir ? Et la peur, est-ce qu'elle m'a bien quittée ? C'est pourquoi, aujourd'hui, je viens...

MME DISS. – Tu as une belle voiture et un joli petit sac. Le père, mon fils, le devinait certainement et de ces pensées de tes succès là-bas, il fouettait son dépit, certainement. Il se disait : elle m'abandonne un garçon dont l'aspect est pour moi une humiliation chaque matin, elle espère qu'il m'apparaîtra comme le reflet de ma déveine.

Oh, il lui arrivait de crier, seul au milieu des maïs : Je suis le maître ! Qui m'abattra ?

Il se disait encore : elle a laissé Jacky, Jacky m'appartient. Il s'occupera des serpents.

Il m'a dit, une fois que j'étais là en visite : je le ferai dormir avec les serpents et les serpents ne le toucheront pas.

Je vois que tu as, vraiment, de très jolies petites affaires. Et cette robe d'été, elle est en cuir ? Elle paraît !

NANCY. – Alors... Qui a dormi avec les serpents ?

MME DISS. – Le père, mon fils, était bien malheureux.

NANCY. – Il a bouclé le garçon ? Avec les vipères ?

MME DISS. – Je t'ai dit, Jacky n'avait pas peur. Pourquoi boucler quelqu'un qui n'a pas peur et qui, à tous les ordres, obéit, à la fois endurci, modeste, insensible ?
Le père, mon fils, avait peur à sa place. Il était bien malheureux malgré sa cruauté.
Nancy !

NANCY. – Oui. J'ai entendu. Il rit dans la maison.

MME DISS. – Il joue avec ses enfants, certainement.
L'heure du feu d'artifice va venir et les voilà tous excités.
Certainement ?

NANCY. – Il ne riait pas comme on rit quand on joue, madame Diss.
Tu le sais bien.

MME DISS. – C'est mon fils et il se moque que je sèche sur pied. De l'eau ! Je t'en supplie !

NANCY. – C'est aujourd'hui feu d'artifice et c'est aussi l'anniversaire de la mort du garçon, alors je viens pour que nous allions, le père et moi, sur la tombe (c'est une tombe ?), pour qu'ensemble nous nous inclinions bien bas au-dessus de la petite âme du garçon, et que nous nous excusions puisqu'on ne peut plus lui demander pardon et qu'il nous l'accorde.

Ensuite je m'en irai et je ne reviendrai plus.

Nous aurons fait ce qu'il faut.

Le père devra y consentir, il devra.

MME DISS. – Mais il suffira qu'il te jette un coup d'œil pour comprendre que tu arrives d'une vie toute brillante et victorieuse. Il en sera contrarié. Ils n'ont qu'une vieille voiture poussiéreuse, et regarde le toit de leur maison, regarde les fissures dans le mur.

Il n'a pas réussi du tout, mon fils. La femme est serviable mais gênante.

Ils vivent du maïs. Leurs enfants sont élevés au maïs et parfois, elle me l'a dit, ils se perdent et meurent dans les maïs. Ne meurent pas, mais s'étiolent dans les maïs. Oui...

NANCY. – Tu l'entends qui rit encore dans sa maison ?

MME DISS. – Cette petite robe de cuir, je peux la caresser ?

NANCY. – Nous pouvons encore, avant le feu d'artifice, nous rendre au cimetière (c'est un cimetière ?), nous avons encore le temps, nous nous excuserons auprès du pauvre garçon... Quoique nous sachions mal le faire, nous fléchirons le genou... puisque nous avons failli... manqué... auprès de ce petit Jacky, notre garçon.

MME DISS. – Le père, mon fils, en est venu aux mains avec le responsable des pompes funèbres. C'était cher.
Dites à la mère de payer ! criait-il.

NANCY. – Oh, certes, j'aurais payé.

MME DISS. – Mais la mère, ah, la mère, où était-elle ?
Elle amassait ses petites affaires, elle remplissait son joli sac, elle venait parfois (je le sais, j'en suis sûre) et se cachait dans les maïs, n'osant pas approcher, pour observer de loin les tourments du garçon qui n'avait pas de jambes mais des tiges.
Maintenant il faudrait que je boive.
Vas-tu donc ouvrir, ou sortir ?

NANCY. – Oui, sors !
Avant la fête, allons nous excuser.

MME DISS. – Quelqu'un gémit dans sa maison...

NANCY. – Non ? Un geignement, une plainte ?

MME DISS. – Nancy, j'en ai le frisson.

NANCY. – Je me suis soulagée de ma peur et jamais plus je n'aurai peur de ma vie.

III

MME DISS. – Dis-lui de sortir, toi. Maintenant, c'est assez.
Ou j'entre ou il sort, mon fils, et qu'il vienne me reconnaître et me saluer.
Dis-lui.

FRANCE. – Oh, je viens juste vous demander de partir, s'il vous plaît. C'est qu'il est mécontent, si mécontent.
Est-ce qu'elle est là, si charmante, pour le feu d'artifice ?

MME DISS. – C'est sa femme d'avant. C'était la mère du...

FRANCE. – Ah, c'est pourquoi il est bien fâché.

A présent il dort.

MME DISS. – Mon fils dort dans sa maison ?

FRANCE. – Il se repose pour laisser retomber sa colère. Mais sa colère ne retombera pas s'il vous voit à son réveil depuis la fenêtre, à l'attendre là devant, infatigables, têtues.

Il sera d'autant plus irrité qu'il aura dormi pour rien, un 14 Juillet, au lieu de se réjouir dans la perspective de la fête et de contempler les enfants qui par crainte de barbouiller leurs habits extraordinaires ne bougent plus, assis dans la cuisine, sur les petites chaises bien fraîches.

Comme il était contrarié, tout à l'heure !

Il a vu sa mère et il a vu cette étrangère si élégante et elles lui sont apparues telles deux juges pointilleuses venues lui dire : Il est temps de rendre des comptes, alors que, se dit-il, il en a depuis longtemps réglé le solde et ne veut plus rien entendre de ces deux bouches-là...

Mais, cependant, elle n'est pas une étrangère, et ce n'est pas le feu d'artifice qui...

MME DISS. – Tu as mon argent ? Tu as de l'eau ? Que je boive !

NANCY. – De l'argent, je t'en ai donné !

MME DISS. – Je veux également celui de mon fils.

Je veux l'argent de mon fils et l'eau de ta maison.

FRANCE. – C'est que, oui, je lui ai demandé tout ce que nous avions sous la main et je lui ai demandé de courir en ville chercher à peu près tout ce qu'il nous reste, afin de vous dépanner, vous, chère mère, comme je m'y étais engagée, mais à peine j'ai eu le temps de prononcer votre nom, à peine j'ai pu évoquer ce qui nous occupe, oh il s'est trouvé soudain hors de lui et j'ai cru qu'il allait se jeter sur moi pour m'obliger à me taire, je me suis vue, dans ses yeux, être vous, qu'il aurait voulu étrangler.

Bonjour, madame, maintenant je vous connais.

Et, mon dieu, mon dieu, vous êtes si...

Maintenant je suis anéantie, pantelante.

Je sais vaguement qu'il y a eu avant mes enfants un pauvre garçon aux serpents, que là où mes enfants jouent dans la cour un garçon a remué la même poussière et pareillement tracé des signes avec la pointe d'un bâton sur le mur de l'appentis, je sais bien que mes enfants occupent la position et le terrain d'un autre qui peut-être en éprouve, là où il est, où il gît, une amertume que je comprends, que je comprends, et je crains que la jalousie du mort, que son dépit, un jour fasse du tort à mes enfants, qu'ils soient tout auréolés d'un nuage d'acrimonie qui les aveugle et les empêche de retrouver, par exemple, leur chemin dans les maïs, oh.

Maintenant, madame, bonjour, je ne vous connaissais pas ainsi. Je m'en veux d'être si faible, oh.

MME DISS. – Quoi ? Allez.

Tu es déjà toute luisante. Sous ma poudre, je me tiens.

Quoi, alors ?

FRANCE. – Ce pauvre petit mort envieux et solitaire flotte autour de mes enfants, qui

45

n'y peuvent rien. Madame, pardon... Ce n'est pas de leur faute.

Dites à votre mort qu'il les laisse tranquilles.

MME DISS. — Il ne l'entendra pas.

Est-ce qu'il connaît la voix de sa mère ?

FRANCE. — Madame, je pensais pouvoir lutter mais c'est impossible, impossible. Vous voilà fine et belle, et votre robe de cuir lisse, vos sandales blanches, et armée ou ornée du jeune mort dont il dit, mon mari, qu'il aimait trop les serpents, et qui se trouve être le frère de mes enfants mais rien pour moi sinon une substance oppressante dans la cour, dans les champs, derrière la maison où cette grande cage sale est restée.

Qu'est-ce que je peux faire ?

Maintenant je me sens redevenir lourde et hébétée, indigne d'être choisie, aimée — et tirée par erreur de cette famille inavouable.

Maintenant il va s'en apercevoir, me regarder, se dire : cette femme grossière, qu'est-ce qu'elle fait chez moi — elle touche mes enfants, elle les embrasse, de quel droit ?

Mais, vite, il faut partir avant qu'il se réveille !

Vous êtes venue pour le feu d'artifice ?

MME DISS. – Elle est venue pour conduire le père, mon fils, ton mari, sur la tombe du garçon avec elle.

La tombe, elle ne sait même pas où elle est.

FRANCE. – Oh, il ne voudra pas ! J'irai avec vous, je vous emmènerai.

MME DISS. – Elle veut se recueillir avec lui, elle veut s'absoudre auprès du mort.

NANCY. – Le couvrir de fleurs.

FRANCE. – Il ne voudra jamais. J'irai, nous nous excuserons ensemble.

Seulement, ne me faites pas le lui demander ! Il se fâchera si fort. Les enfants et moi, il nous dévorera.

Je ne peux pas lui demander.

NANCY. – Je n'ai pas peur. Je le ferai bien.

FRANCE. – Non, non...

Attendez, que je voie s'il dort encore. Car s'il ne dort plus, car s'il m'aperçoit là dehors avec vous, il ne fera qu'une bouchée de moi, qu'une bouchée des enfants, bien que, je vous l'assure, cet homme m'ait sauvée, m'ait relevée...

Attendez, ne vous faites pas entendre.

Oh là là.

Votre petit mort, pardon, nous gâche l'existence – je le sens, je l'entends qui ricane autour de nous et s'obstine à peser du poids de son pur esprit sur nos pauvres têtes confuses.

MME DISS. – Je n'attends pas. J'entre avec toi.

FRANCE. – Non ! Ce serait impardonnable. Ce serait dangereux.

NANCY. – Laisse, Mme Diss.

Elle est sa femme et j'étais pareille. Elle a peur comme j'avais peur.

Laisse-la.

FRANCE. – Je vous aime toutes les deux et je consens à être subjuguée, ravie, je suis ainsi. Me donner, me lier, voilà comme je

48

suis. J'espérais un peu me battre et vous prouver que je suis ici chez moi, mais non, je rends tout, je l'accepte, servez-vous de moi comme il vous plaira.

Mais... s'il ne dort plus !

Et les enfants que j'ai laissés dedans, assis chacun sur sa petite chaise bien froide, dans l'obscurité de la cuisine !

S'il ne dort plus ?

MME DISS. – Sur leur chaise, ils sont ligotés ?

FRANCE. – Non. Cependant ils ne bougeront pas plus que s'ils l'étaient, et même moins encore.

NANCY. – Elle n'ose plus entrer.

MME DISS. – Va faire là-dedans ce que tu as à y faire ! Qu'est-ce que c'est ?

Préviens mon fils, rapporte de l'eau, un chèque pour la maman, habille-toi, tamponne-toi, fais sortir ces enfants, qu'on voie leur figure, et tout sera bien à l'endroit.

Qu'est-ce qu'il y a de si particulier ? Il est devenu, tout d'un coup, un serpent ? C'est lui, le serpent ? Il n'a pas fini de digérer le petit Jacky, il est encore tout déformé par la bosse que lui fait dans l'estomac le corps du garçon ?

NANCY. – Le soleil de juillet, madame Diss, le soleil de fête nationale est violent dans cette campagne.

Va donc à l'ombre, derrière l'appentis.

MME DISS. – Je reste là, je guette l'instant de pénétrer.

NANCY. – Sa femme est entrée dans la maison, oh bien lentement, comme s'il lui était impossible de ne pas aller au supplice mais qu'elle se disait : quelque chose peut encore se produire, qui me retiendrait dehors, laissons le temps d'arriver à n'importe quoi d'improbable.

MME DISS. – Est-ce qu'elle n'est pas un peu haïssable, à vouloir se dévouer ?

Son pantalon, sa chemise, ses cheveux coupassés, tu as vu tout cela ?

IV

VOIX D'HOMME CRIANT DEPUIS LA MAI-
SON. – France !

MME DISS. – C'est lui ? Je reconnais à
peine la voix de mon fils.

NANCY. – Il l'appelle alors qu'elle est
dedans.

MME DISS. – Comme si c'était toi ou
moi qu'il appelait, en se trompant de prénom, de rôle et de position.

NANCY. – Mais elle ?

MME DISS. – Eh bien, elle est dedans,
ou elle n'y est plus.
Il l'a peut-être avalée, puisqu'elle le crai-
gnait. Il aura mangé les enfants, puis cette
femme, et il attend que nous venions à lui
pour nous infliger le même traitement obs-
cène.
On ne dévore pas sa mère, tout de
même ? Ou si ?

NANCY. – A présent je m'assois, et dans
la poussière peu m'importe.

Voilà, je suis fatiguée, j'étends mes jambes sur la terre tiède.

Je suis fatiguée.

MME DISS. – Tu ruines la robe, tu cochonnes le petit sac, les mignonnes affaires...

Quant à moi, je ne suis pas mariée actuellement et la pire infamie peut s'abattre sur mon dos du jour au lendemain à cause de toutes ces dettes que j'ai faites, et j'ai si soif que les mots me griffent la gorge, et mon fils est un ogre et il refuse de paraître devant moi et il me cache ses enfants dont il travaille la matière même, chair, sang, esprit, de façon insensée, et tous attendent ici le feu d'artifice comme le moment d'une apocalypse heureuse, et leur horizon et leur ciel sont emplis, saturés de millions d'épis de maïs, et je ne suis plus tout à fait jeune et je n'ai pas de maison qui m'appartienne, mais je reste debout, je reste nette et froide, Nancy.

Tu ne me verras pas assise dans la poussière, non.

Tu ne m'entendras pas, assise dans la poussière, regretter quoi que ce soit.

J'ai été riche et j'ai eu des maisons que j'avais achetées et des maris qui m'enviaient et que je possédais, et puis j'ai vendu et revendu jusqu'à n'avoir plus rien, j'ai laissé au bord d'une route monotone toutes sortes de maris qui me pesaient et dont j'ai oublié le visage, aussi je pourrais me coucher dans la poussière ? Je pourrais soupirer : Comme je suis fatiguée ? Et laisser s'incurver le trait de mes lèvres, se reserrer mes narines ?

Je reste exacte, rigoureuse et froide, Nancy.

NANCY. – Y a-t-il une place pour moi dans la maison de ton fils ?

MME DISS. – Dans cette maison ?

VOIX D'HOMME CRIANT DEPUIS LA MAISON. – France !

MME DISS. – Alors, où est la femme ? Cette pitoyable France ?

Car c'est bien mon fils qui appelle.

NANCY. – Elle est où je devrais être, elle est à ma place, dans la maison de ton fils.

Je m'allonge. Je suis fatiguée.

MME DISS. – Mais enfin, elle fait quoi ?
Ecoute ! Ce sont les enfants.

NANCY. – Oh, oui, comme ils sont gais,
comme leur voix est musicale...

MME DISS. – Nancy, ils ne sont pas gais.
Ce ne sont pas des piaillements de joie.
Il n'y a aucune musique là-dedans.

NANCY. – Il me semblait être soudain
là-bas, en ville, et entendre depuis mon
appartement les jeux des enfants dans la
cour. A chaque fois j'en ai le cœur sai-
gnant.

MME DISS. – Ils ne jouent pas.

NANCY. – Car se glisse en moi la pensée
que si la peur et l'asphyxie m'ont fait fuir
d'autres jeux d'enfants dans une autre
cour, c'est encore la sensation de suffoquer
qui me ramène là où je ne voulais plus
vivre.
Mais il est tard.

MME DISS. – Ils ne s'amusent pas. Ils se
bagarrent.
Un jour de fête, par cette chaleur, ils se
bagarrent, endimanchés par le père.

NANCY. – Le garçon, Jacky, a lutté lui aussi ?

MME DISS. – Qui peut savoir ?
A sa façon.

NANCY. – Il s'est bagarré ? C'était un garçon.

MME DISS. – Il y a un peu plus loin, au milieu des mêmes maïs, une école où le père conduisait Jacky, mais le père ne se souciait pas de vérifier si le garçon était habillé correctement ou s'il avait bien fait le travail demandé, et d'ailleurs je le lui avais dit, à mon fils : il n'a pas même un coin de table pour travailler, dans cette maison. Par conséquent, il s'est beaucoup bagarré, comme on le moquait.
Ce n'était pas un garçon, pas une fille. Ce lui était profondément égal d'être moqué. Il se bagarrait par formalité.
C'était un être bizarre et qui n'avait pas de sexe.
Mon fils accorde grande importance aux vêtements que vont porter ces deux enfants-là lorsqu'il les mènera et les exposera au feu d'artifice, mais Jacky pouvait

aller en guenilles, il ne s'en préoccupait pas ou il en tirait du plaisir.

Le père en tirait du plaisir, Nancy.

NANCY. – Ah, le père, maintenant, à quoi ressemble-t-il ? La méchanceté, elle déforme ses traits ?

MME DISS. – Une fois le garçon mort et enterré, il a resplendi. La jeunesse et la satisfaction l'illuminaient de l'intérieur, tendaient et polissaient sa peau, embrasaient ses yeux.

Je lui ai dit, en lui tapotant la joue : tu t'es nourri de Jacky, tu t'es engraissé de lui. Jacky t'a donné, je lui ai dit encore, la vigueur précieuse de son adolescence, les poumons neufs et roses de ses quatorze ans, et je ne doute pas, disais-je à mon fils, que c'est ton visage usé et buté, ta figure terne et tes viscères brûlés qu'on découvrirait reposant dans le satin du cercueil si on rouvrait maintenant celui-ci. Vraiment, les souffrances du garçon t'ont profité.

Mon fils ne s'est pas récrié. Il a remué les lèvres et la mâchoire comme s'il finissait d'avaler une petite boule de nourriture un peu pâteuse, puis il a souri largement pour me montrer comme ses dents étaient saines et luisantes.

Je me suis fait poser de fausses dents, a-t-il dit.

Tu as donc de l'argent pour ça, j'ai répondu.

Et même, dans le fond, trois dents en or, a-t-il dit non sans fierté. Elles m'aideront, ces dents, à trouver une femme dans la région. J'aimerais avoir autant de femmes que tu as eu de maris mais je crains de ne pas en être capable, a dit mon fils sérieusement.

Alors j'ai dit, tout aussi gravement : le fait est que tu n'as jamais été aussi beau, même au temps où tu as séduit cette Nancy.

NANCY. – Il paraît plus jeune que moi ?

MME DISS. – Certainement, certainement.

NANCY. – Si j'avais, par mon garçon, assouvi ma faim de tyrannie, aurais-je l'air très jeune également ? Si je m'étais repue de lui ?

MME DISS. – Le père a eu son content de chair fraîche, certainement.

NANCY. – Alors je veux rentrer dans la maison et ne plus jamais en partir, je veux m'installer dans le fauteuil de sa femme et élever ses enfants – de quel âge ?

MME DISS. – Je ne sais pas trop.

Je les confonds avec des enfants qu'avaient auprès d'eux certains de mes maris et qui sont, de fait, passés entre mes mains.

NANCY. – C'est que ma vie m'accable, c'est que je n'en peux plus d'être ce que je suis.

Je suis partie dans un certain état de mon âme et de ma figure, puis je reviens dans un état différent qui me permet de souhaiter n'être jamais partie et qui me fait désirer cette vie même que je trouvais odieuse.

Je veux être là, je veux, avec l'autorité que maintenant je possède, étendre mes bras dans la maison et, lui, le dominer doucement et qu'il me craigne un peu – et aimer ses enfants et les gronder et les éduquer.

Je veux être là et que le petit Jacky soit là également.

MME DISS. – Le pauvre garçon n'avait pas d'hygiène, pas d'orthographe, rien.

NANCY. – Oh je ne sais pas, je ne sais pas.

Je suis très capable aujourd'hui de supporter cette maison et ce père-là, avec la voix du garçon montant de la cour.

Je pourrais être aujourd'hui la gardienne de mon garçon. Cela ne poserait aucun problème, forte comme je suis devenue.

Je pourrais être la gardienne de cette maison et de ces maïs tout autour, et d'une voix un peu lente, assourdie par la chaleur, je dirais à Jacky : un jour, mon adoré, je t'emmènerai en ville, je te montrerai le quartier où j'ai vécu quand tu étais petit et où, pour toi, j'ai gagné de l'argent et de la considération, je te montrerai les trois magasins que j'ai créés, qui sont à moi, où des femmes jeunes et adorables, pour toi et pour moi, travaillent la journée entière à vendre, entretenir, sourire et encaisser. J'ai été l'une d'elles, gracieuse, un peu crédule, mais ambitieuse, patiente, sachant reconnaître l'instant de s'élancer.

MME DISS. – Mon fils, lui, a croupi dans la sècheresse et l'abandon. C'est de ma faute ?

NANCY. – Et je serais là, riche de ce que j'ai accompli mais sans l'avoir accompli, libérée de toute peur humiliante mais sans l'humiliation d'avoir eu peur autrefois, je serais là.

On sentirait dans chaque pièce de la maison le souffle très léger de ma présence, l'imperceptible exhalaison de mon passage. Il m'arriverait de dormir dans la cour. Je...

VOIX D'HOMME. – France !

V

FRANCE. – Madame, c'est vous qu'il appelle !

MME DISS. – Il a dit : France.

FRANCE. – Non, non. Il a dit autre chose, un autre prénom – le sien. Il l'appelle car, moi, je n'y suis plus.

Oh je suis fière, je suis fière...

MME DISS. – Tu ne nous fais pas voir tes enfants ?

FRANCE. – Ils ne doivent pas quitter leur petite chaise glacée, il le leur a interdit très formellement, bien que ces chaises soient d'un tel inconfort, avec leur dossier de métal, que les enfants sont tout engourdis de crampes et torturés dans leurs mains et leurs pieds par des millions de fourmis. Mais il leur défend même de ciller, car ils ne sont que trop prêts, ils sont tout à fait prêts, pour la fête.
Vous voulez être privés de feu d'artifice ? leur demande-t-il doucement. Ou, peut-être, vous voulez que le feu d'artifice soit annulé à cause de vous ? Qu'on vous le reproche toute votre vie ?
Qu'est-ce qu'ils peuvent répondre à ça, mes pauvres gosses ?

MME DISS. – Nous aurions voulu les voir.

FRANCE. – C'est lui qui les garde.

MME DISS. – Nancy voudrait bien les voir.

FRANCE. – Je suis sortie de la maison, chère mère. Voyez, j'ai les mains vides, ne m'en veuillez pas...

MME DISS. – Tu devais me rapporter à boire et vos économies.

Qu'est-ce que je deviens, alors ? Je vais en prison, avec mon sautoir et mon col de dentelle, avec mes ongles vernis et mes jambes fines ?

Plus rien ne me protège ! Tu dis que tu m'aimes et tu me laisses mourir.

Tu dis que tu m'aimes et, en ce qui me concerne, tu retiens prudemment ton imagination, tu diffères de te représenter dans les détails celle que tu aimes, moi, dès lors que vous m'aurez recrachée d'ici sans m'avoir donné le moindre centime.

FRANCE. – Mais il m'est impossible de rentrer.

Je me suis battue contre quelque chose de formidable et j'ai vaincu.

On ne revient jamais, quand on vient de gagner, sur le lieu où s'est livrée la bataille, car sait-on ce qui nous attend, tapi dans l'ombre ?

MME DISS. – Je n'ai plus nulle part où aller, France.

Je suis seule. Je n'ai pas de maison. Je n'ai que ma voiture.

Il me serait très pénible d'être hébergée dans la maison de mon fils. Je déteste et cette maison et cet homme-là.

Je suis parfaitement seule.

FRANCE. – Il y a encore cette grande cage là-derrière.

Il dit parfois : nous devrions y faire vivre un locataire.

MME DISS. – Pourquoi es-tu si différente de celle que tu étais il y a pas même une heure ?

Pourquoi, soudain, es-tu plus haute et plus droite, la peau colorée, les yeux luisants, et, il me semble, parcourue à fleur de peau d'une véhémence frémissante, d'un plaisir féroce ?

Qu'est-ce que tu as fait là-dedans ?

VOIX D'HOMME. – France !... France !

FRANCE. – Il vous appelle, madame.

NANCY. – Ce n'est pas mon prénom. C'est le vôtre.

63

FRANCE. – A ce qu'il semble, mais l'objet de son appel, c'est vous.

Je me suis acharnée contre... quelque chose, et j'ai été la plus forte, moi ! Quelle surprise. Quelle surprise.

MME DISS. – Plus forte que quoi ?

FRANCE. – Oui.

MME DISS. – Qu'est-ce que cela voulait de toi ?

FRANCE. – Me faire sien, m'assimiler, m'absorber jusqu'à ce qu'il ne reste de France qu'un très discret souvenir. Une résolution contre la mienne, et j'ai triomphé.

C'était froid, sans amour, c'était une lutte impitoyable.

J'ai senti qu'il n'y avait pas d'amour pour moi, juste une volonté.

Oh, je sais bien que votre petit Jacky a été dévoré, je le comprends.

MME DISS. – Il l'a forcé à se coucher dans la cage au milieu des serpents.

NANCY. – Mme Diss, je ne veux plus l'entendre. C'est au-delà de ce que je peux endurer.

MME DISS. – Il feignait de croire que les serpents s'écarteraient du garçon avec crainte et respect.

FRANCE. – Il faudrait que quelqu'un rentre dans la maison pour préparer le dîner de mes enfants.

MME DISS. – Mais pourquoi ces bêtes auraient obéi à ce que disait le père, puisque ce qu'il disait n'était pas ce qu'il souhaitait ?
Elles voulaient Jacky, elles ont eu Jacky.

FRANCE. – Elle pourrait entrer et prendre dans le réfrigérateur un restant de spaghettis bolognaises, elle pourrait verser les spaghettis dans la grande casserole et les mettre à réchauffer à feu léger. Avant, elle penserait à ouvrir le gaz. Les enfants ont tendance à chipoter, elle n'hésiterait pas à les forcer un peu. Elle pourrait dire, gentiment : finissez-moi tout ça et je vous achèterai un chichi à la fête. Comme elle n'aimerait pas qu'il y ait un reste des restes, elle remplirait leur assiette, de façon à vider la casserole et qu'il ne soit plus question, les jours suivants, des spaghettis bolognaises, car elle saurait à quel point on peut haïr le rata vertueux qui du fond du frigo vous accuse, – de sorte, les assiettes débordantes, que les enfants en auraient bien plus qu'ils ne peuvent en ingurgiter, alors... mes pauvres enfants... elle se débrouillera...

NANCY. – Je vais entrer. Je saurai faire.

FRANC. – Il faut qu'elle fasse et qu'elle soit tout comme moi. Sinon ils refuseront d'ouvrir la bouche.

MME DISS. – Tu crois qu'elle a envie d'être comme toi ?

FRANCE. – Mais oui, mais oui, oui.

NANCY. – Oh ce n'est pas un souci. Je m'habituerai à tout ce à quoi il faudra.

FRANCE. – Mes pauvres enfants... Je les reverrai quand ?

MME DISS. – Eh bien, retournes-y.

NANCY. – Elle ne peut pas. C'est fini pour elle là-dedans.

FRANCE. – C'est qu'il était réveillé, vous savez.

Je me tenais dans la pièce profonde et je pouvais entendre son souffle, qui n'était pas celui du repos mais de l'affût et de la méfiance.

Le souffle rapide des enfants sur leurs chaises, je ne pouvais pas l'entendre car le réfrigérateur bourdonnait. Je savais qu'il était là, qu'il me guettait, je savais qu'une seconde de rêverie signerait ma propre consommation.

Je ne pouvais pas entendre le souffle un peu court des enfants mais, le mien, oui, mon souffle, je pouvais l'entendre, rauque et long et en désaccord avec le sien et qui, même, contestait le sien.

J'avais l'impression de grandir et de grossir dans la pièce obscure, de l'emplir de mon calme et de ma soudaine faculté de contrôle sur cette famille, et je me disais, c'est grâce à cette dame et à son jeune mort dont elle amène la présence avec elle, oh je me disais, qu'elle soit remerciée de m'avoir, par sa venue, son allure, déchiré le cœur, puis tirée du sommeil.

Je dormais, Mme Diss.

Mais, alors, dans la cuisine toute noire, cette chose m'a réveillée, de quelle façon, la chose qui me voulait et qui a battu en retraite, repoussée par ma puissance soudaine !

Je dormais, Mme Diss. Je ne dors plus, je ne vous adore plus, je suis là, près de vous.

Comme j'ai dormi longtemps !

Et les années ont passé malgré tout et je regrette de n'avoir plus mes vingt-deux ans, je regrette d'avoir des enfants dont il me coûte de me séparer, j'aimerais tant être libre au moins de cette douleur-là...

NANCY. – Je vais m'occuper d'eux et les aimer aussi bien que vous.

Ils ne s'apercevront d'aucune différence.

FRANCE. – Qu'elle soit bien patiente, qu'elle ne crie pas, surtout sur le petit garçon.

NANCY. – Le petit Jacky ? Je pourrai l'appeler comme ça ?

FRANCE. – Oui, il s'appelle Jacky.

NANCY. – Tu ne m'avais pas dit, Mme Diss, que ce nouveau petit garçon s'appelait Jacky.

Mme Diss. – J'ai dû l'apprendre puis l'oublier. Il y a eu, dans mes vies d'épouse, tant de petits garçons qui se ressemblaient, et tant de petits Jacky.

De sorte que, pour moi maintenant, tous les petits garçons s'appellent Jacky.

Nancy. – Je suis contente.

Je... Je tâcherai de faire mieux que vous encore puisque, moi, ces enfants que vous avez, je ne les quitterai pas.

France. – Il faudrait qu'elle me passe sa robe et ses sandales, le sac également.

Je n'aurai jamais rien eu d'aussi joli.

Mme Diss. – Tu veux prendre sa petite robe de cuir ? Ses sandales en peau de serpent ? De quoi tu auras l'air ?

France. – Ah, mais il le faut.

Mme Diss. – Ta silhouette ne convient pas.

Tu as des os d'ouvrière, énormes et qui roulent sous la peau.

Regarde mes os, regarde les os de Nancy : on les distingue à peine dans la chair fine mais ils la soulignent de fossettes ou de proéminences délicates.

Non, ta silhouette outrage les belles matières.

NANCY. – Vous avez raison. Prenez tout. Vous êtes admirable, admirable.

C'est moi, à présent, qui deviens timide.

FRANCE. – Et elle doit se couvrir de mes affaires pour que les enfants l'approchent sans crainte.

NANCY. – Oui, donnez-moi le pantalon et le tee-shirt et les vieux tennis.

Oui, c'est d'une nécessité indiscutable.

Comme vous êtes plus courageuse que moi. Comme je vous admire.

Car, moi, ma peau m'encombre et la vie me paraît d'une lenteur de cauchemar. Ce qui se passe à l'intérieur de cette maison me semble propre à précipiter le cours de l'existence.

Lorsque j'étais là-bas, en ville... oh, je revoyais la maison et je crevais de ne pas y être mais à peine faisais-je un pas dans cette direction que la terreur et le pressentiment de l'ennui me repoussaient au plus loin d'ici.

MME DISS. – Pourtant tu es venue plus d'une fois, tu t'es cachée dans les maïs et tu as regardé.

Tu n'as pas regardé, peut-être ?

NANCY. – Mais comment je serais venue ? Et pourquoi serais-je venue ?

MME DISS. – Mon fils savait que tu étais là et que tu regardais.

Il devait sentir ta peur, en jouir froidement, ou peut-être non, en éprouver seulement tristesse et colère.

Je ne sais pas.

FRANCE. – A présent c'est égal.

Regardez, mère, je suis déguisée en femme de parade. C'est ça, être chic ? Je suis chic, j'ai de la classe, j'en impose. Je joue !

NANCY. – Vous montez dans ma voiture, vous allez chez moi, vous vous faites appeler Nancy.

MME DISS. – Est-ce qu'il y a, dans la vie de Nancy, un homme ou qui que ce soit d'autre ?

NANCY. – Personne.

Mme Diss. – Alors mon fils va lui manquer.

France, réfléchis bien. Et ta gratitude pour mon fils ? Et le beau corps chaud de mon fils chaque soir auprès du tien ? L'habitude que tu en as ?

Il m'a dit, mon fils, après la mort du garçon et lorsqu'il rayonnait de toutes les fibres de sa chair, il m'a dit : J'aimerais procurer à n'importe quelle femme autant de plaisir que tous tes hommes t'en ont donné. Et je lui ai dit, moi : Ils m'en donnent encore, ils m'en donnent encore.

Et puis il t'a dénichée et il s'est marié avec toi et je présume qu'il a atteint son but. Tu n'as pas besoin de lui ?

Et mon fils m'a dit, vaguement déçu : France est une fille commode à satisfaire.

Et il voulait savoir si j'étais, moi aussi, commode à satisfaire car il ne voulait mettre en comparaison avec sa femme que sa mère elle-même.

Mais un homme quel qu'il soit me fait défaut en ce moment tout autant que l'argent. Ah, oui, une autre voix que la mienne, d'autres yeux que les miens posés sur moi.

France, penses-y. Tu te crois raffinée ?
Je pense que toute espèce de distinction est
inaccessible à ta nature, je pense que...

Cris d'enfants depuis la maison.

FRANCE. – Il faut qu'elle y aille tout de
suite ! Ils ont peur, oh comme ils ont
peur !

MME DISS. – Ecoutez-moi toutes les
deux, comprenez bien : Je ne sais pas où
aller. Je suis à la rue ! Nancy !

FRANCE. – Trop tard. Elle est entrée.

MME DISS. – Vous devez me compter
comme l'un des enfants. Vous devez vous
occuper de moi. Vous devez prendre toute
la responsabilité de ma personne.
Moi, je ne peux plus.

FRANCE. – Mes pauvres enfants... Si je
les revois, je ne serai plus celle qu'ils ont
connue. Ils m'ont perdue quoi qu'il arrive.
Si même à cet instant je rentrais pour les
retrouver, je ne serais plus la même puisque j'aurais tenté de les fuir. Je suis perdue
pour eux bien plus qu'ils sont perdus pour
moi.

Mme Diss. – Nancy est dans la maison.
Je ne l'aurais jamais cru.

France. – Elle n'en sortira pas.

Mme Diss. – Elle n'en sortira pas ?

France. – Elle ne saura pas comment
faire.

Elle ne saura pas où est l'adversaire ni
ce que c'est.

Elle ne s'apercevra de rien. Elle tâchera
d'oublier son mort et personne ne la réveillera.

Mme Diss. – Mais si Nancy...

France. – Il faut l'appeler France.

Mme Diss. – France ne peut pas se passer de mon fils, il est bien qu'elle soit dans
la maison. Elle est très amoureuse de lui. Il
la tient par le sexe et par la reconnaissance.

Ce qu'elle ignore, c'est que mon fils est
fou : il veut offrir les enfants pour s'acheter
la faveur du feu d'artifice.

Je ris car c'est grotesque.

France. – J'offre les enfants et derrière
moi je les laisse, en sacrifice.

Mme Diss. — Mais à qui mon fils veut-il soumettre les enfants ?

A la mystérieuse divinité du feu d'artifice !

France. — Et le premier petit Jacky ?

Mme Diss. — Il l'a voué à qui ?

France. — Oui ?

Mme Diss. — A la déesse des vipères.

France. — Nancy ?

Mme Diss. — Non, non. Ne mélange pas tout, ne va pas croire qu'il suffit d'avoir les pieds sanglés dans de la peau de serpent pour...

Cependant, France, mon fils sur ce point est ridicule, ridicule.

France. — Appelez-moi Nancy.

Et je prends sur mon dos toute la charge de ce que vous êtes, je vous tire, je vous pousse, je vous porte. Ce que vous ferez de mal sera ma faute.

Je prendrai soin de vous.

Je travaillerai et je vous nourrirai. Ce que vous ferez de bien sera ma fierté.

Je prendrai soin de vous.

MME DISS. − Il faudra te remarier, trouver un homme gentil.

FRANCE. − Si vous voulez.

MME DISS. − Avoir encore un enfant ou deux.

FRANCE. − Oui.

MME DISS. − Je te présenterai mon troisième mari qui se trouve, je le sais, être libre en ce moment. Il saura te faire des enfants charmants. Il t'amusera. Fini l'enterrement dans les maïs.

J'aurai confiance. Tu iras loin. Je t'observerai et je me dirai, elle est ma jeunesse, elle est ma vie.

Ce mari que j'ai eu et qui deviendra le tien, étant donné qu'il m'aime encore assurément, tu accepteras qu'il se partage entre nous deux mais tu resteras la maîtresse de ses décisions. Aucun n'a cessé de m'aimer. Je fais en sorte que, si on ne m'aimait plus, on craindrait de déchoir, en sorte qu'il apparaisse gratifiant de m'aimer et gênant de ne plus, car c'est un but élevé après lequel il ne peut être question de reculer sans s'abaisser.

Je ne prétends pas que c'est la vérité. Ou si ?

FRANCE. – Oh.

MME DISS. – Alors ne m'aime pas moins. C'est une proposition que je te fais.

FRANCE. – Vous êtes mal ! Vous tombez !

MME DISS. – J'ai tellement... chaud... et soif.

FRANCE. – Cela ne se voyait pas !

MME DISS. – J'aime savoir me tenir... Je vous trouve toutes les deux... un peu faibles... et abjectes... et sentimentales.
Mais si tu me prends avec toi... tu changeras. Tu es... mes années préférées... et tu ne me jalouseras pas quoi que je fasse... tu te seras hissée bien au-dessus... de ces émotions-là.
Aime-moi bien, aime-moi bien.

FRANCE. – Oui. Mon dieu, je n'ai pas d'eau et je ne peux plus aller dans la maison.

MME DISS. – Demande à mon fils... Crie
vers la maison...

FRANCE. – Mais je suis sortie de la maison et je ne suis plus France.
La maison de votre fils, je ne la connais
plus, votre fils, je ne le connais plus.

MME DISS. – Alors... crie vers Nancy...

FRANCE. – France.

MME DISS. – Crie vers France... De
l'eau...

FRANCE. – France !

MME DISS. – Il n'y a plus aucun bruit...
Comme après la mort du garçon... quand
le père voulait rire, la maison, frappée de
stupeur... tâchait de le faire taire.

VI

Dans la maison.

NANCY. – Où es-tu ? Et, les enfants, où
êtes-vous ?
C'est moi, je suis là.

Je suis revenue.

Mari, enfants ? Mon mari, mon enfant ? Pourquoi vous cachez-vous ? Pourquoi ne courez-vous pas vers moi, émus et gais tout comme je suis gaie et émue ?

La maison est malodorante, il faudra voir à ouvrir les fenêtres.

Mais les fenêtres ne s'ouvrent pas ! Pourquoi as-tu bloqué les fenêtres ? Barbouillé de peinture la crémone de telle sorte que, une fois la peinture séchée, la poignée ne tourne plus ?

Hé ho, Mme Diss ?

Elle est partie. Et l'autre femme est partie et les maïs là-devant sont coupés et ramassés. Et la terre a été labourée et semée de nouveau et voilà déjà le maïs en herbe fine et haute. Est-ce que le père va battre son enfant s'il s'aventure parmi les tiges frissonnantes pour le seul plaisir de les sentir effleurer ses mollets ?

Où êtes-vous ? Où sont les êtres que je dois aimer, entourer d'attentions et emmener au feu d'artifice ?

Mais ce serait donc le printemps et j'aurais conduit sur la petite route bordée par le vert tendre du maïs en herbe et j'aurais vu devant moi l'air chargé du pollen blanc des peupliers, et je me serais dit, est-on en hiver pour qu'il neige ainsi, sachant que ce serait le printemps et non l'hiver mais prenant plaisir à feindre de ne pas identifier les flocons du pollen blanc mousseux des peupliers, ou peut-être ne prenant aucun plaisir à cela mais tentant de m'empêcher de penser que j'arriverais bientôt à la maison et qu'il me faudrait décider si j'avais comme je l'espérais ou le croyais la force d'entrer dans la maison et d'y reconnaître les miens ou si une fois de plus l'épouvante et l'aversion alourdiraient mes jambes et retarderaient les battements de mon cœur au point qu'il me serait impossible de traverser le dernier champ de maïs avant la maison, concentrée tout entière sur ce point de ma poitrine où la peur trouverait moyen de s'introduire et de démanteler ce que j'aurais cru dans ma légèreté être le siège inviolable de ma bravoure, de ma puissance, de ma hardiesse nouvelle. Les maïs protègent ou emprisonnent la maison et je saurais sans me le dire car depuis longtemps je l'aurais su sans avoir eu besoin de jamais me le dire, je saurais bien qu'en vérité ce n'est pas de lui que j'ai peur même si c'est un démon et qui ne le craint pas, le démon ? mais tout simplement peur du lien irrémédiable qui m'enchaînent à ces deux êtres, le mari et l'enfant, et de la nécessité de me montrer, si je me montre, si je sors des maïs, capable de recevoir le flot d'amour et d'espoir et de détresse et les exigences de l'amour et de l'espoir et le naïf chantage de l'attente et du bon droit murmurant, notre vie est à toi, sois à la hauteur de ce don, prends, prends, décharge-nous... Je le saurais et j'aurais honte de le savoir et de sentir mes paupières s'abaisser à demi quand seraient apparues à l'extrême limite de mon champ de vision, sous la nuée lente et blanche des pollens envolés d'invisibles peupliers, les silhouettes étroites du mari et de l'enfant ignorant ma présence et de ce fait étrangement, miraculeusement innocentes... et moi du coup salie et enfoncée par cette innocence qui leur viendrait à la fois d'être épiés et de la pâleur flottante des pollens les enveloppant et les dérobant peu à peu à mes yeux mi-clos, discrètement les abritant de mon regard coupable, malheureux, obstinément terré...

Où êtes-vous, les miens ?

La porte est fermée. Les fenêtres sont fermées. Mme Diss et l'autre femme ont disparu.

La porte est fermée. Les fenêtres sont...

La maison est malodorante. Cette maison n'est pas tenue du tout.

Elles m'ont dit qu'il y avait des enfants mais où sont ces enfants ? Elles m'ont dit qu'il y avait un garçon prénommé Jacky mais où est ce garçon, où est ce Jacky ? Je devais entrer pour posséder une famille et voilà qu'il n'y a même pas l'odeur d'une famille.

Où est la porte ? La porte était verrouillée. Maintenant la porte, même verrouillée, n'est plus là.

Où est la porte ? Où sont les fenêtres ? Derrière lesquelles j'apercevais le maïs en herbe où mon garçon aimait à marcher jambes nues me communiquant sans le savoir le frémissement de l'herbe vulnérable jusqu'au bout de la plantation où je me tenais, le regardant et sentant sur mes propres chevilles... les ondes de ce... de ce tremblement... comme si les membres du garçon avaient été reliés au mien... par un chuchotement d'herbe inaudible et insensible pour lui, le père, que je pouvais voir aussi s'activant mollement autour de la maison et dont les épaules basses, les hanches maigres me contractaient de pitié, et je songeais malgré moi, le pauvre homme, le pauvre homme...

Mais ces fenêtres, derrière lesquelles...

Mais...

Il n'y a plus rien.

Il n'y a plus rien et il n'y a plus personne et nul enfant ne deviendra le mien par l'effet de mon amour...

Il n'y a plus rien... que le très léger soupir de ce qui m'attend là-bas embusqué et persévérant dans l'ombre de la table ou de la cuisinière ou de deux petites chaises désertées, que sais-je, qui m'attend dans la patience et le bercement de son propre soupir... et contre quoi il est vain de se défendre car, ce que c'est et ce que cela veut de moi, je ne le sais pas, je ne le sais pas... et contre quoi il est vain de se défendre car, ce que c'est, c'est peut-être ce que convoite corps et âme mon être entier depuis longtemps malgré la peur de ce qu'on ne voit pas et ne connaît pas et qui, en revanche, vous connaît, vous attend dans la constance inaltérable et le sévère détachement de ce qui ne doute pas de votre abandon, de votre capitulation... mais est-ce encore capituler que de se donner, est-ce encore abandonner que de consentir enfin à ce que la peur vous empêchait de désirer, d'admettre, de reconnaître comme... oh... Je croyais être devenue indifférente à la peur mais j'ai peur, j'ai peur...

Qu'est-ce que cela va être, et comment ?

Cette maison est fétide, je suis la dernière à être mangée.

VII

MME DISS. – Toi, alors, il va bien falloir que tu me dises...

Tu ne me répondras pas et j'en ai pris mon parti, bon, et ce sera comme lorsque tu étais petit et que déjà tu me manifestais une hostilité si féroce que tu refusais de manger devant moi les plats que je t'avais cuisinés.

Pourquoi ce garçon, toi, haïssait-il sa propre mère ?

C'est que tu étais mauvais de naissance. Bon. Pourquoi je me sentirais blâmable d'avoir un mauvais fils ? Je ne me sens pas blâmable d'avoir un mauvais fils, j'en suis attristée et gênée devant le monde, voilà tout.

Alors je me prépare mon petit lapin en gibelotte et je veillerai que tu n'y touches pas. Cela t'apprendra. Désormais je festinerai toute seule et toi, pour manger, tu feras comment ?

Tu te débrouilleras.

Tiens, la voilà qui monte dans le chemin. Elle a sa pauvre valise en carton bouilli et son manteau râpé. De chaque côté du chemin la terre est noire et nue, si bien que, voudrait-elle se cacher, elle ne le pourrait nulle part.

Non, ce n'est pas elle qui se cachait.

Tu le sais, mon fils ? Mon chéri ? Va, tu restes mon chéri.

Celle-là, c'est France et ce n'est pas France qui avait accoutumé de se cacher dans les maïs. C'est l'autre, celle dont tu m'as dit (oui, oui, tu me l'as dit) que tu t'en étais régalé.

FRANCE. – Que faites-vous là, Mme Diss ?

MME DISS. – Et toi ? Avec ce manteau que je t'avais déconseillé d'acheter car il te fait la jambe courte, et il faudra que tu le traînes encore des années et, oui, ma pauvre, tu vas vieillir dans cet affreux manteau comme dans la peau d'un mari lamentable et collant.

Qui sait si ce n'est par la faute de ce manteau que tu as échoué ?

Tu aurais dû m'écouter et choisir ce joli kabig rouge qui te donnait bonne mine...

FRANCE. – Je ne comptais pas que vous seriez là, Mme Diss.

Pourquoi faut-il toujours que, où je veux aller, vous soyez déjà ?

MME DISS. – Où voulais-tu que j'aille ? Il ne me restait que mon fils.

Je ne suis pas ravie. Je lui dis qu'il sera toujours mon chéri mais c'est faux. Pour qu'il tolère la présence de sa mère chez lui

ou, comme maintenant, dans sa cour mal-
propre, pour qu'il supporte que sa propre
mère touille chez lui un petit ragoût dont
il refusera ostensiblement de s'approcher,
pour qu'il accepte que sa mère jalousée et
exécrée avec un désespoir rageur dorme de
l'autre côté de la cloison et entende malgré
elle les bruits épouvantables qu'il produit
la nuit, pour qu'il ne me jette pas dehors
ou pire encore, bien pire, je l'appelle mon
chéri pour l'éternité, et cela m'écorche la
langue mais comment faire autrement
quand on est, comme moi, une malheu-
reuse sur le retour, sans revenus et sans
maison ?

Oui, je me suis quand même amusée
mais les temps sont durs...

Je dis : mon chéri, en songeant à un certain Tony (tu le connais !) et, de cette
manière, avec en tête la belle gueule de
notre Tony, je peux parler à mon fils sans
en éprouver trop de mélancolie.

FRANCE. – Vous m'avez fait beaucoup
de mal avec Tony, Mme Diss.

MME DISS. – Maintenant je suis terri-
blement déprimée.

FRANCE. – Et moi si fatiguée, si fatiguée.

MME DISS. – Regarde-moi, je ne suis plus aussi ardente. Je suis plus lumineuse que toi ? On dirait bien.

FRANCE. – Comment est-ce possible que, sans me détester le moins du monde, vous ayez été à la source de mes peines les plus grandes ?

MME DISS. – Tu l'aimais, ce gars-là ?

FRANCE. – Mais...

MME DISS. – Et l'autre d'avant également ? Tu aimais tout le monde ? Je pouvais le savoir, moi ?

FRANCE. – Ce que vous avez fait, on ne le fait pas ! Séduire méthodiquement chaque amoureux de sa belle-fille, s'efforcer de coucher avec lui avant même que la belle-fille l'ait embrassé, on ne peut le faire que si, la belle-fille, on la hait, et ce n'était pas le cas.

MME DISS. – Je t'aimais beaucoup, je voulais rester avec toi, tu es gentille et tu es douce.

Tu m'agaçais un peu, à ne pas savoir faire ton trou. Mais je n'ai pas été déçue, n'ayant pas misé sur toi du point de vue de la réussite. J'étais certaine que, là où l'autre avait su se tailler un chemin, tu piétinerais, intimidée, pétrifiée par l'ampleur du devoir : faire carrière, gagner de l'argent.

Je n'avais aucun espoir. Tu es modeste. Tu crains de déplaire. Tu as les chevilles épaisses, les cuisses lourdes. Comment, si large de hanches, s'élancer en conquérante, voler froidement vers un succès dont on se dit qu'il est à soi et à personne d'autre ? Tu ne veux pas déranger. Rien ne t'est dû. A moi, tout.

Mais je t'aimais bien. Il me semblait que tout cela n'avait guère d'importance. Un homme, un autre, un fils – et après ?

FRANCE. – Je ne sais plus. Comme j'ai froid.

MME DISS. – Je me souviens du père de mon fils ? Pas du tout. Je connais le nom de mon fils, alors je connais aussi le nom de son père, mais je ne vois rien de ce type-là, pas un regard, pas une histoire, rien !

Oh, ton vilain manteau qui ne te tient même pas chaud.

FRANCE. – Est-ce que, là-dedans, tout le monde va bien ?

MME DISS. – Il a fait couper son maïs. Comme il n'a pas les moyens de le faire lui-même, que veux-tu que cela lui rapporte ?

FRANCE. – La femme est là ? Je voudrais voir les enfants.

MME DISS. – Ah, dis donc, tu ne vas pas entrer tout de même ? Non, non, tu n'entreras pas. Ce n'est pas possible.

FRANCE. – Juste pour voir les enfants.

MME DISS. – Ce n'est pas possible et ce n'est pas, absolument pas, adéquat.

FRANCE. – Juste...

MME DISS. – Car je garde à présent l'entrée de cette maison.

FRANCE. – Vous pleurez, Mme Diss ? Oh...

MME DISS. – Je suis un peu cafardeuse. Je garde cette horrible maison.

FRANCE. – Ne pleurez pas, s'il vous plaît ! Si vous pleurez, vous...

MME DISS. – Nous allons laisser passer l'hiver et puis, dès que le maïs sera en herbe courte, tu reviendras me chercher, nous repartirons. Va-t'en. Cette maison empeste. Je ne peux pas te laisser y pénétrer. Retourne là-bas, vivote comme tu pourras mais, au printemps, n'oublie pas de venir me chercher.

FRANCE. – Je ne sais pas où aller.

MME DISS. – Retrouve le père de mon fils et va chez lui. C'est le même nom. Force sa porte. Il me semble qu'il avait... oui... un visage de loup, pointu, les yeux étroits...

FRANCE. – Comme lui.

MME DISS. – Oui, comme lui.

FRANCE. – Et, quand le maïs a commencé de repousser, quand la terre est bien verte, je reviens vous chercher et nous repartons et tout recommence, mais pour le mieux ?

MME DISS. – Oui, pour le mieux.

FRANCE. – Laissez-moi juste, auparavant, voir les enfants, s'ils ont grandi...

MME DISS. – Non ! Ils n'ont pas grandi du tout. Tu le sais bien.

FRANCE. – Nous oublierons et tout renaîtra, mais en mieux ?

MME DISS. – Oui, en mieux. Je crois que tu plairas au père de mon fils. Il aimait les petites femmes comme toi... lui ou un autre... comment savoir, comment se rappeler ?

FRANCE. – Je reviendrai, Mme Diss.

MME DISS. – Souviens-toi de moi.

FRANCE. – Je reviendrai.

CET OUVRAGE A ÉTÉ ACHEVÉ D'IMPRIMER LE
TRENTE DÉCEMBRE DEUX MILLE TROIS DANS LES
ATELIERS DE NORMANDIE ROTO IMPRESSION S.A.S.
À LONRAI (61250) (FRANCE)
N° D'ÉDITEUR : 3894
N° D'IMPRIMEUR : 032460

Dépôt légal : février 2004